Hablemos con el aire

Presented to

Aldine Branch Library

By

**Friends of the Aldine Branch
Library Extraordinaire**

Harris County
Public Library

your pathway to knowledge

Para mi papá
E. C.

¿Quién empuja este avión de papel?
A ustedes, Carmen, Adrián, Itzel y Mariana
L. S. V.

Coordinación de la colección: Mariana Mendía
Proyecto y coordinación editorial: Rodolfo Fonseca
Coordinación de diseño: Javier Morales Soto
Diseño y formación: Angie Aladro Maldonado
Asistencia editorial y corrección de estilo: Ricardo Maldonado Gutiérrez

Hablemos con el aire

Texto D. R. © 2018, Ernesto Colavita
Ilustraciones D. R. © 2018, Luis San Vicente

Primera edición: noviembre de 2018
D. R. © 2018, Ediciones Castillo, S. A. de C. V.
Castillo ® es una marca registrada.

Insurgentes Sur 1886, Florida,
Álvaro Obregón,
C. P. 01030, Ciudad de México, México.

Ediciones Castillo forma parte del Grupo Macmillan.

www.edicionescastillo.com
Lada sin costo: 01 800 536 1777

Miembro de la Cámara Nacional
de la Industria Editorial Mexicana
Registro núm. 3304

ISBN: 978-607-540-388-5

Impreso en México / *Printed in Mexico*

Hablemos con el aire

Ernesto Colavita

Luis San Vicente

castillo
A Macmillan Education
Company

Giroscopio

Aire, agua,

tierra y fuego

Todas las cosas que existen pueden encontrarse en cuatro formas diferentes: gaseosas, como el aire; ardiendo, como el fuego; sólidas, como la tierra; o líquidas, como el agua.

El aire nos abraza y acaricia. Entra a nuestros pulmones y nos llena de energía...

¿Cómo sabemos de su existencia si es invisible a nuestros ojos y pareciera que no pesa nada?

En realidad, el aire es lo que mueve las hojas de los árboles, ese soplido que sentimos en nuestra cara al correr, y la razón por la que algunas cosas son impulsadas o caen lentamente.

A veceS nos olvidamos de su presencia,
ya que es transparente y no tiene olor ni sabor.
Pero al ver humo u oler algo, sabemos que hay
otra cosa alrededor.

Se trata de un elemento que se cuela por cualquier lugar, y que tiene peso, aunque no lo creamos.

Distintas aves, insectos y mamíferos viajan gracias a sus alas, pero también con ayuda del aire. Algunas especies se elevan muy alto, mientras que otras llegan muy lejos.

¡**Mira** las alas de estos animales! Lucen muy diferentes entre sí. En ciertos casos son bastante grandes, como las del cóndor, que puede suspenderse a miles de metros de altura.

En cambio, hay otras demasiado pequeñas, como las del colibrí, que aletea más de cincuenta veces por segundo.

La textura de las alas también es distinta en cada caso. Pueden estar cubiertas de plumas, formarse de piel o incluir más de un par.

A través de los tiempos, el ser humano ha soñado con volar. Y en siglos recientes, ese anhelo se logró de diferentes formas, siempre aprovechando las corrientes de aire.

Lo anterior, por supuesto, fue un gran reto.

El aire envuelve a la Tierra; sin embargo, hay tan poco a unos cuantos kilómetros de ésta que no podríamos respirar allí. Por eso, los astronautas necesitan un traje espacial.

Además, dicho elemento es muy diferente en otros planetas, así como en varios rincones de nuestro mundo. Incluso hay sitios en los que no hay.

Debes saber también que el aire no está formado por un solo compuesto. En realidad, se trata de una mezcla de muchos gases, entre los cuales hay uno muy importante para la vida: el oxígeno.

Al respirar, el aire entra a los pulmones. En ese momento, nuestro cuerpo absorbe el oxígeno. Sin éste, ni nosotros ni el resto de los animales podríamos subsistir.

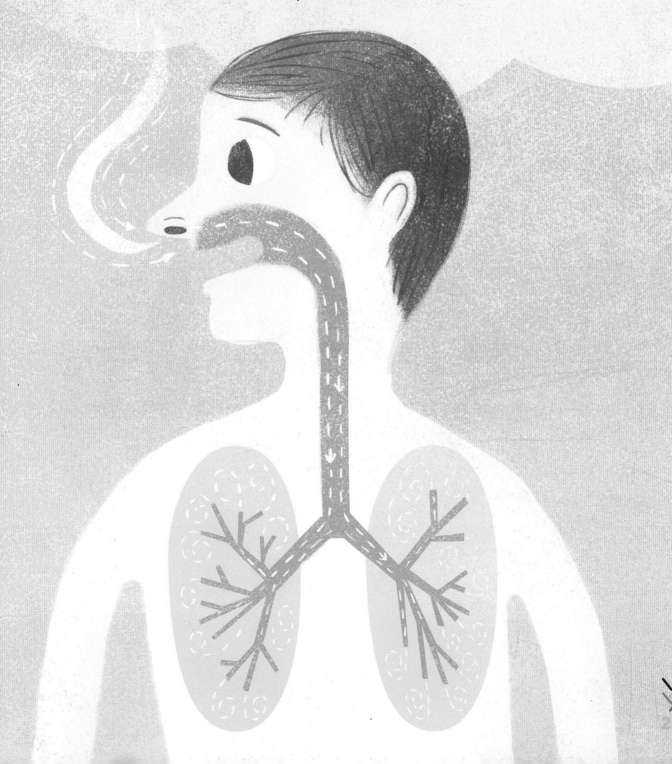

Durante la respiración, los humanos y otros animales liberamos un gas conocido como dióxido de carbono.

CO_2

Luego, las plantas, con ayuda de la energía solar, atrapan ese compuesto y liberan oxígeno. Por eso los árboles son tan importantes.

Cuando llenamos nuestros pulmones de aire limpio, nos llenamos de vida. Por el contrario, si el aire está contaminado, nos podemos enfermar.

Los automóviles y fábricas generan grandes cantidades de humo con sustancias nocivas para la salud. Con el fin de revertir su efecto podemos sembrar y cuidar árboles, así como caminar o usar bicicleta.

Aire, agua, tierra y fuego pueden combinarse. En el agua suelen formarse burbujas de aire que siempre suben.

No obstante, aquellas que resultan muy pequeñas, casi invisibles, permanecen bajo la superficie y son utilizadas por los peces para respirar.

La tierra, por su parte, puede ser arrastrada por intensas ventiscas, haciéndola viajar miles de kilómetros.

Asimismo, el aire puede alimentar al fuego.
Cuando hay mucho aire caliente a la altura del
suelo y aire frío en el cielo, se produce un remolino
conocido como tornado. Entonces las corrientes
frías bajan y las calientes suben.

Si esto sucede en el mar, los vientos se vuelven tan fuertes que levantan el agua a kilómetros de altura, produciendo enormes tormentas. Este fenómeno es conocido como huracán.

El aire nos abraza y acaricia. Entra a nuestros pulmones y nos llena de energía.

Aviones de papel

Desde hace miles de años, el ser humano ha querido volar. Hoy podemos hacerlo con ayuda de aeronaves que pesan toneladas. Además, gracias a lo que sabemos del aire, es posible armar aviones caseros, hacer vuelos de prueba y mejorar su diseño.

Usando una hoja de papel reciclada, haz un avión con tus propias manos.

1
Coloca la hoja de manera horizontal y dóblala por la mitad.

2
Dale vuelta al papel, para que el doblez quede boca abajo.

3
Mueve una de las esquinas superiores a la altura del centro. Fíjate que el doblez coincida con la esquina inferior.

4
Repite el paso 3 con la otra esquina superior.

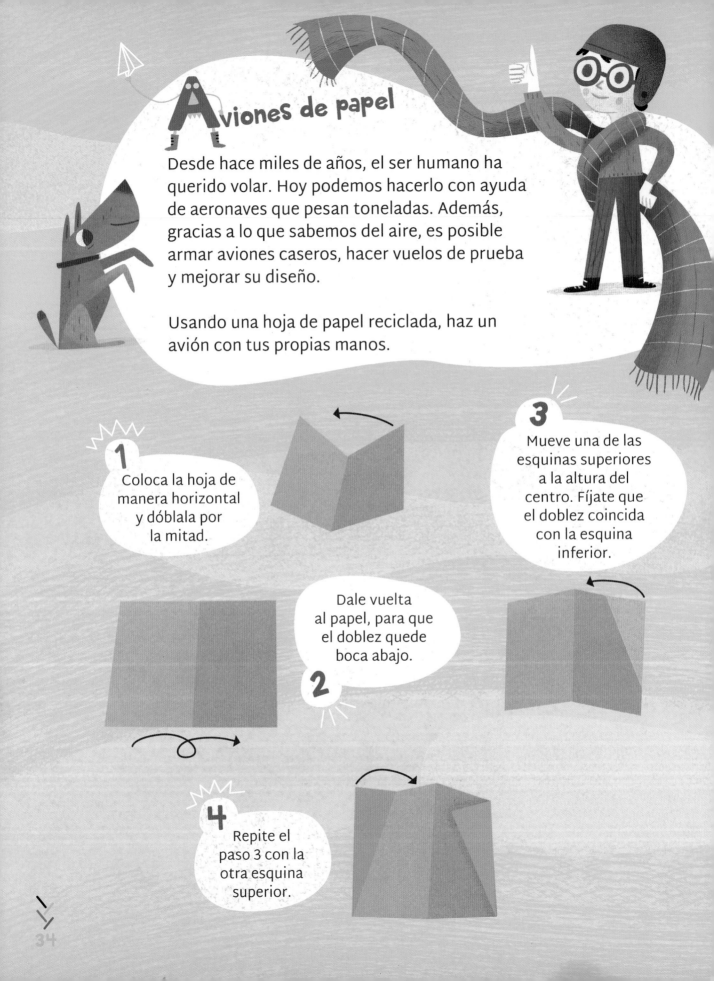

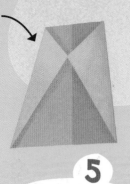

6

Repite el paso 5 con la otra pestaña.

5

Dobla una de las pestañas resultantes hacia el centro, por la mitad. No importa si la esquina rebasa un poco la mitad.

7

Dobla la parte superior, donde se unen las pestañas, de arriba hacia abajo. Aprieta fuerte.

9

Dobla las dos alas resultantes y aprieta bien la nariz.

8

Dobla la hoja por la mitad que se marcó desde el inicio.

10

Tu avión está listo. Si tiende a volar hacia abajo durante el vuelo de prueba, alza las esquinas de las alas un poco, para que el aire lo ayude a levantar la nariz. Ahora, ¡a surcar los aires!

La leyenda de Tajín y los Siete Truenos

Cuenta un antiguo relato que, hace mucho tiempo, un muchacho llamado Tajín, famoso por meterse en problemas, se topó de pronto con un anciano. Éste le preguntó entonces si quería ayudar a sus hermanos y a él. Luego le ofreció casa y comida, a cambio de sembrar, de cosechar y de barrer. "Somos los Siete Truenos", dijo el anciano. "Subimos a las nubes, nos colocamos nuestras capas y calzamos nuestras botas para zapatear con gracia hasta desgranar la lluvia".

En cierta ocasión, los Siete Truenos se ausentaron del lugar. Tajín aprovechó el momento para ponerse un par de botas y una capa, y subir al cielo a jugar. Los primeros pasos que dio allá fueron

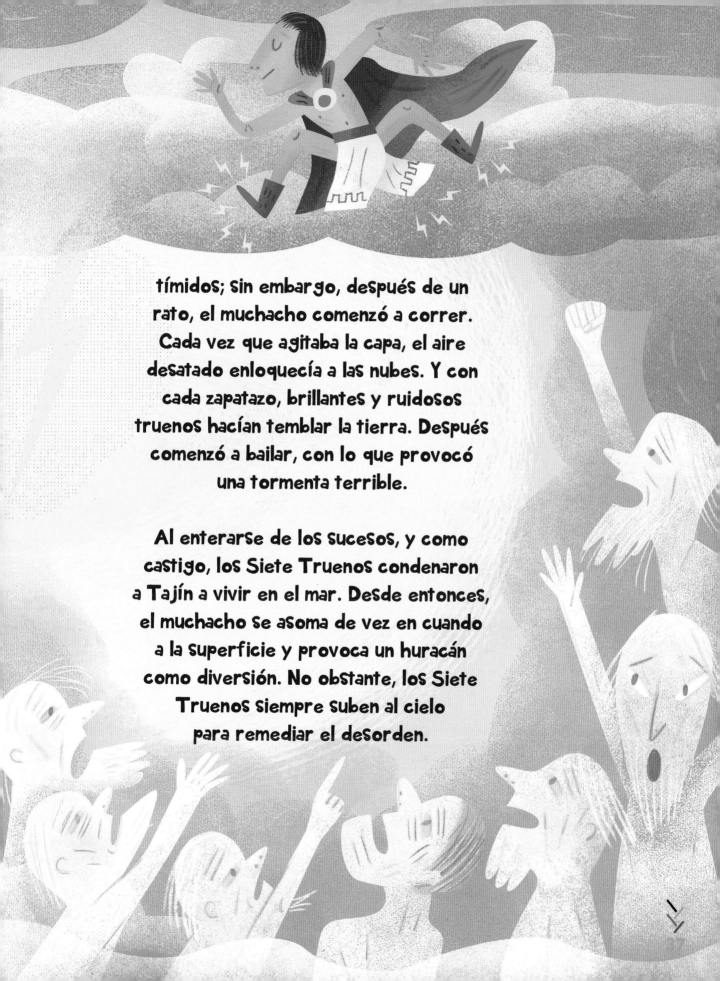

tímidos; sin embargo, después de un rato, el muchacho comenzó a correr. Cada vez que agitaba la capa, el aire desatado enloquecía a las nubes. Y con cada zapatazo, brillantes y ruidosos truenos hacían temblar la tierra. Después comenzó a bailar, con lo que provocó una tormenta terrible.

Al enterarse de los sucesos, y como castigo, los Siete Truenos condenaron a Tajín a vivir en el mar. Desde entonces, el muchacho se asoma de vez en cuando a la superficie y provoca un huracán como diversión. No obstante, los Siete Truenos siempre suben al cielo para remediar el desorden.

Impreso en los talleres de
Editorial Impresora Apolo, S. A. de C. V.
Centeno 150-6, Granjas Esmeralda,
Iztapalapa, C. P. 09810,
Ciudad de México, México.
Noviembre de 2018.